Faut pas pousser mémé dans les orties

Conception graphique et réalisation : Hokus Pokus Créations
Préparation de copie : Gérard Tassi
Correction d'épreuves : Marie-Caroline Saussier

Vincent Albouy
Roland Garrigue

Faut pas pousser mémé dans les orties

et autres expressions botaniques

delachaux et niestlé

Mon chou

Voici l'une des rares locutions positives utilisant ce sympathique légume ! Combien d'amoureux ont susurré ce mot doux, subjugués par le charme et la beauté de leur partenaire ? Il est vrai que l'amour rend aveugle, au point de vouloir comparer l'être aimé à un légume, certes très nourrissant mais à l'esthétique discutable. En fait le chou légume n'est que secondairement à l'origine de l'expression. Il a servi à qualifier, par analogie de forme, une délicieuse pâtisserie ronde et creuse, souvent fourrée d'une crème onctueuse. L'expression amoureuse fait référence à ce gâteau, et la comparaison se comprend et se justifie alors bien mieux.

C'est l'arbre qui cache la forêt

Comment la partie, l'arbre, peut-elle cacher le tout, la forêt formée de milliers d'arbres ? Ce n'est qu'une question de perspective. En se mettant juste devant le tronc d'un arbre, même modeste, celui-ci occupe tout notre champ visuel. Nous ne pouvons plus voir la forêt qui se trouve derrière. Au sens figuré, on emploie cette expression pour parler d'un détail qui empêche de voir un problème ou une situation dans toute sa complexité. Mais il suffit de prendre un peu de recul, au sens propre comme au sens figuré, pour que la forêt ou le problème réapparaissent !

Avoir du blé

Qu'on s'occupe à le gagner ou à le dépenser, qu'on prenne plaisir à l'accumuler ou à le dilapider, l'argent occupe une place centrale dans la vie des êtres humains depuis son invention à l'aube de l'Antiquité. Preuve de son omniprésence dans nos vies, les innombrables noms argotiques ou populaires inventés pour le désigner : blé, galette, fric, flouze, pépettes, etc.
Pourquoi du blé ? Peut-être parce que les nombreux grains que peut contenir une poignée font penser aux pièces d'une bourse bien remplie.
Peut-être parce qu'autrefois le blé était, avant l'argent, la base de toute richesse réelle. Comme le disait de façon prémonitoire le chef indien Seattle en 1854 : « Lorsque le dernier arbre aura été abattu, le dernier fleuve pollué, le dernier poisson capturé, vous vous rendrez compte que l'argent ne se mange pas. » À ce moment-là, il vaudra mieux avoir du blé au sens propre qu'au sens figuré.

Ne pas avoir un radis

Le radis fait partie des nombreuses choses de peu de valeur qui peuplent notre vie quotidienne, au point de ne jamais être vendu à l'unité mais toujours en botte. Il sert donc, avec bien d'autres plantes insignifiantes comme les nèfles ou les cacahuètes (voir p. 49), à qualifier le presque rien.
Dans l'expression qui nous occupe, et qui signifie ne pas avoir d'argent, le radis remplace les petites pièces de monnaie. Ne pas avoir un radis en poche, c'est ne pas posséder la moindre pièce, même de quelques centimes. Vous remarquerez qu'au jardin comme à la banque, pour se procurer des radis, il faut creuser un trou, dans le sol ou dans son compte.

Mettre du beurre dans les épinards

Légume vert de printemps et d'automne, l'épinard n'a pas beaucoup bénéficié de la créativité des cuisiniers.
Il est souvent servi cuit à l'eau sous forme d'une purée plus ou moins consistante.
Son goût est agréable mais relativement fade.
Un plat aussi simple n'excite pas vraiment les papilles, sauf s'il est agrémenté d'un beau morceau de beurre frais mis à fondre sur la purée bien chaude juste avant de la servir. Au sens figuré, le plat d'épinards représente la vie quotidienne, et le beurre un supplément d'argent ou de confort qui vient l'agrémenter. C'est une version potagère et imagée de l'adage selon lequel l'argent ne fait pas le bonheur, mais y contribue.

C’est la fin des haricots

Le haricot, très nourrissant et si facile à conserver en sec sans avoir besoin de le stériliser ou de le congeler, a longtemps constitué la nourriture de base dans les cantines militaires ou des collèges et lycées. Élèves et soldats se plaignaient souvent de son retour récurrent dans les assiettes : un jour l’ennui naquit de l’uniformité, comme dit le poète. Mais quand les haricots viennent à manquer, c’est que les réserves de nourriture sont épuisées. La fin des haricots, c’est le début de la disette.

Au sens figuré, l’expression signifie que c’est la fin de tout, qu’on est au bout du rouleau, mais avec une nuance ironique qui empêche de croire à la réalité de cette fin annoncée.

Chercher une aiguille dans une botte de foin

Le foin est de l'herbe séchée au soleil.
Une botte de foin est composée de milliers de tiges et de feuilles de graminées enchevêtrées. Si une aiguille tombe dans ce labyrinthe, il est pratiquement impossible de la retrouver, petit bout de métal droit difficile à distinguer au milieu de sections de tiges droites.
Mais qui a encore l'occasion de perdre réellement une aiguille dans une botte de foin à notre époque ? Seul le sens figuré a toujours une réalité concrète au quotidien : chercher au milieu d'une foule de personnes ou d'objets quelqu'un ou quelque chose que son unicité ou sa petitesse rend très difficile à trouver.

Croquer le

fruit défendu

Tout le monde connaît l'histoire d'Adam et Ève chassés du paradis pour avoir mangé une pomme. Dans le texte latin de la Vulgate, la Bible traduite de l'hébreu au Ve siècle par saint Jérôme, le mot *pomum* signifie fruit en général, et non pomme en particulier. Adam et Ève ont en fait croqué le fruit de l'arbre de la connaissance, chose qui leur avait été formellement interdite par Dieu. Au sens figuré, l'expression signifie passer outre un interdit ou un tabou, avec souvent une connotation sexuelle. Le caractère de l'être humain est ainsi fait qu'il se lasse vite de ce qu'il peut faire sans contrainte, mais qu'il est très attiré par l'interdit. C'est un héritage de notre côté animal : il est bien connu que pour la vache ou la chèvre, l'herbe est toujours plus verte de l'autre côté de la barrière.

Une belle plante

Cette expression est utilisée pour qualifier une personne à la plastique harmonieuse, souvent une femme. Un adjectif servant à préciser la pensée la complète parfois. Par exemple, si la personne arbore de belles rondeurs, ce sera une belle plante épanouie. S'il émane d'elle un petit parfum de scandale, ce sera une belle plante vénéneuse. Mais attention aux collisions de sens. Si vous croyez faire un compliment à l'hôtesse qui vous accueille pour un dîner en ville en la qualifiant de belle plante d'intérieur, vous risquez d'être surpris par sa réaction, et de finir au restaurant.

La cerise sur le gâteau

Tout va bien, les amours, les études, le travail, les projets, la santé. Dans cette satiété de bonheurs, vous gagnez au loto. C'est la cerise sur le gâteau, la petite gourmandise supplémentaire qui s'ajoute à la montagne de pâte, de chocolat, de caramel, de crème, qui vous rassasie et qui aiguillonne le plaisir de manger.
La cerise sur le gâteau est une chose positive. « C'est le pompon » en est le pendant négatif, pour qualifier l'estocade finale qui clôt une série de mauvaises nouvelles ou de catastrophes, par exemple la cerise qui, mangée après un gâteau bien riche et bien lourd, déclenche l'indigestion.

Une grande asperge

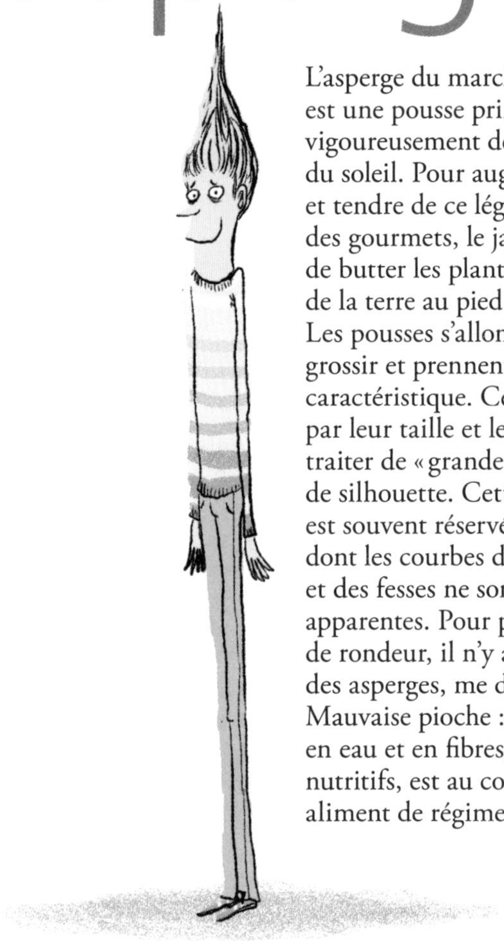

L'asperge du marchand de légumes
est une pousse printanière qui sort
vigoureusement de terre à la recherche
du soleil. Pour augmenter la partie blanche
et tendre de ce légume si apprécié
des gourmets, le jardinier prend soin
de butter les plants, en accumulant
de la terre au pied de la tige.
Les pousses s'allongent sans vraiment
grossir et prennent une allure effilée
caractéristique. Certaines personnes,
par leur taille et leur minceur, se font
traiter de « grande asperge » par analogie
de silhouette. Cette métaphore
est souvent réservée aux jeunes femmes
dont les courbes des seins, des hanches
et des fesses ne sont pas encore très
apparentes. Pour prendre un peu
de rondeur, il n'y a qu'à manger
des asperges, me direz-vous.
Mauvaise pioche : ce légume riche
en eau et en fibres, pauvre en éléments
nutritifs, est au contraire un excellent
aliment de régime…

Être haut comme trois pommes

Cette expression de sens limpide est employée pour qualifier des enfants de petite taille. Une pomme étant de taille modeste, trois pommes empilées ne montent guère bien haut. Nos instincts les plus profonds nous poussent spontanément à protéger et à aimer les enfants en bas âge, donc de petite taille, fragiles et dépendants de nous. Cet instinct favorisant la petitesse déborde sur les animaux de compagnie. Bien peu de danois ou de dogues allemands se font chouchouter et câliner comme les bichons ou les chihuahuas. Un enfant haut comme trois pommes est donc un jeune enfant, qui attire spontanément la sympathie, d'où la connotation toujours positive de l'expression. Pourquoi trois pommes, et pas deux ou quatre ? Mystère de la création populaire, il fallait bien choisir. Seul le jeune fils de Guillaume Tell pouvait dire qu'il était haut comme quatre pommes, mais en trichant un peu…

Avoir les yeux en amande

Cette métaphore poétique désigne les yeux bridés, c'est-à-dire aux paupières étirées au coin de l'œil. La taille comme la forme d'une amande – un ovale arrondi d'un côté et effilé de l'autre – évoquent en effet un œil bridé.

Mais la connotation qui s'y rattache est très différente. L'œil bridé, terme neutre à l'origine, peut être péjoratif. Dire d'une personne qu'elle a les yeux en amande est au contraire un compliment. La comparaison est d'autant plus valorisante que ce fruit est associé à la beauté féminine, car il fournit depuis l'Antiquité un lait et une huile très appréciés pour entretenir la douceur et l'éclat de la peau.

Avoir une peau de pêche

La peau de certaines personnes, en particulier des bébés, est douce et veloutée au toucher. Elles ont une peau de pêche. Celle de ce fruit est en effet garnie d'un fin duvet pelucheux se détachant facilement par un simple frottement qui donne l'impression de toucher du velours. Ce duvet est une protection du fruit contre les radiations solaires, l'évaporation ou un excès de chaleur. Bien que les deux fruits soient aussi populaires l'un que l'autre, bien des gens préfèrent une peau de pêche à la peau d'orange (voir p. 116).

Presser le citron pour en jeter la peau

Au quotidien, seul le jus du citron est utilisé en cuisine. La peau épaisse et odorante finit à la poubelle ou au tas de compost, après que la pulpe a été pressée pour en extraire le jus. Au sens figuré, l'expression signifie qu'on utilise, voire qu'on exploite les capacités ou les talents de quelqu'un pour s'en débarrasser aussitôt que le but visé sera atteint. C'est une preuve parmi bien d'autres du gâchis dont est capable notre société d'abondance, car les zestes de citron ont de nombreuses utilisations en cuisine pour parfumer sauces, crèmes ou confitures, dans la maison pour parfumer l'atmosphère ou faire fuir les fourmis.

La poire est un fruit très juteux. Le jus est assimilé à l'argent dans le langage populaire. On dit qu'il faut « garder une poire pour la soif » pour justifier quelques économies de côté. Une affaire juteuse est une affaire qui rapporte. La bonne poire est une personne dont il est facile de soutirer de l'argent, honnêtement quand elle se laisse convaincre par les boniments d'un vendeur ou d'un tapeur, malhonnêtement quand sa bonne foi est abusée par un escroc. Bref, la bonne poire se fait souvent presser comme un citron.

Être une bonne • poire

Filer un mauvais

Si vous filez un mauvais coton,
les choses vont mal pour vous : vos
affaires périclitent, votre santé décline,
vous êtes sur une mauvaise pente.
Pour donner un tissu, une matière
textile doit d'abord être cardée, c'est-à-dire peignée pour aligner
à peu près dans le même sens les
petites fibres qui la composent.
Puis elle est filée, c'est-à-dire étirée et tordue,
pour agglomérer
ces petites fibres
en un mince cordon
de diamètre constant.
Enfin les fils sont tissés,
c'est-à-dire entremêlés,
pour donner le tissu.

coton

Attestée au XVIIe siècle, cette expression se disait « jeter un vilain coton », pour qualifier une étoffe produisant de nombreuses « bouloches », c'est-à-dire s'usant rapidement. Au sens figuré, elle signifiait se ruiner, la fortune s'usant aussi vite que le tissu. Au cours des siècles suivants, l'adjectif et le verbe ont été modifiés, probablement sous l'influence de la multiplication des filatures industrielles. En parallèle, le sens figuré s'est élargi pour qualifier toute situation qui se dégrade, sur le plan financier ou autre.

Se prendre une pêche en pleine poire

Une pêche est l'un des nombreux synonymes populaires de « coup de poing » (voir p. 86 et 98). La poire, quant à elle, rappelle la forme du visage humain. Le caricaturiste Daumier (1808-1879) connut la gloire, mais aussi la prison, pour avoir affublé le roi Louis-Philippe d'un visage en forme de poire dans ses dessins. Républicain de cœur, c'était pour lui une manière d'afficher ses opinions politiques. Prendre une pêche en pleine poire, c'est donc recevoir un coup de poing en plein visage. C'est ce qui pend au nez quand on ramène trop sa fraise, au risque de tomber dans les pommes (voir p. 46), ce qui sera toujours moins grave que de se prendre un pruneau !

Être un pauvre cornichon

Jeune concombre cueilli au tout début de son développement, le cornichon se transforme en condiment une fois conservé dans le vinaigre ou la saumure. Pourquoi diable sert-il à qualifier quelqu'un de niais, d'imbécile ? L'explication la plus crédible se rattache à son étymologie.

Cornichon signifie « petite corne ». Mince et recourbé, il ressemble en effet à une corne de vache. La corne étant l'emblème du cocu, et le cocu étant l'un des personnages les plus méprisés et les plus raillés par l'esprit populaire, le pauvre cornichon ne peut être qu'un cocu, un imbécile, un niais incapable de surveiller sa femme.

Ménager la chèvre

et le chou

Cette locution, parfois résumée en « mi-chèvre, mi-chou », renvoie à la chèvre attachée à son piquet qui guigne de l'œil un beau chou à brouter. Allonger la corde, c'est favoriser la chèvre au détriment du légume, et inversement. Dans la vie courante, nous sommes tous régulièrement confrontés à des situations d'arbitrage, où il faut trancher entre des intérêts différents, voire opposés. Ménager la chèvre et le chou, c'est refuser de choisir, de se prononcer clairement pour une partie contre une autre. C'est l'attitude traditionnelle des diplomates qui préfèrent le compromis à l'affrontement. Les amateurs de cuisine feront valoir qu'il est possible de mettre d'accord les deux parties sous la forme d'un ragoût de cuissot de chèvre aux choux. Mais la viande de chèvre et de bouc n'est plus consommée alors qu'autrefois elle était très appréciée, au point de nous avoir donné le « boucher », étymologiquement celui qui vend de la viande de bouc.

Pousser comme un champignon

Les champignons supérieurs passent la plus grande partie de leur vie sous forme d'un réseau de fins filaments dans la couche superficielle du sol ou dans le bois mort. Ils se nourrissent de matière organique, accumulant des réserves. Puis, quand la situation est favorable, une période douce ou chaude suivant des pluies abondantes par exemple, ils vont brusquement développer leurs organes de reproduction au-dessus du sol grâce à ces réserves.
Ce sont ces organes que vous et moi appelons « champignons » et que nous dégustons parfois avec plaisir s'ils sont comestibles. Tous les ramasseurs de champignons savent que du jour au lendemain, un sous-bois vide peut se couvrir de cèpes. Cette rapidité de pousse est utilisée au sens figuré pour qualifier la vitesse avec laquelle on construit certains immeubles.
Une ville-champignon est une agglomération sortie de terre en quelques années à la suite d'un boom économique.

Avoir la gueule de bois

Le réveil après une soirée bien arrosée est souvent difficile. Une migraine carabinée succède à l'ivresse, comme si les os du crâne comprimaient le cerveau douloureux, comme si la tête était devenue de bois.
Les remèdes préconisés pour lutter contre la gueule de bois sont aussi nombreux que contradictoires. Ainsi certains vous diront que seule l'abstinence peut supprimer définitivement ce mal de tête pénible. Pour d'autres, la meilleure manière de le faire disparaître rapidement est de boire de l'alcool dès le réveil. À chacun de trancher dans ce débat qui ne laisse pas… de bois.

Couper l'herbe sous le pied

Quand vous coupez l'herbe sous le pied de quelqu'un, vous le devancez dans une action, vous le privez d'un atout dans son jeu. Le pied ne doit pas être pris dans le sens d'un pied humain, mais plutôt du sabot d'un ruminant. Une vache qui broute atteint l'herbe avec son museau quasiment au niveau des sabots des pattes avant. Lui couper l'herbe sous le pied au sens propre la priverait de nourriture, comme vous privez d'un argument, d'une réussite ou d'une promotion celui ou celle à qui vous faites la même chose au figuré.

Carotter quelqu'un

Pédologues, géologues, glaciologues et bien d'autres scientifiques passent leur temps à carotter le sol, les roches ou la glace. Ils prélèvent ainsi des échantillons du sous-sol à fin d'étude, à l'aide d'un outil rotatif creux appelé « carottier ». L'échantillon, long et cylindrique, est appelé carotte par analogie avec la racine du légume.
Le carotteur, lui, prélève un échantillon des biens de son prochain avec pour seul outil la ruse. Car se faire carotter sous-entend l'escroquerie plus ou moins subtile, et non le brutal vol à main armée.

Graine
de voyou

La graine abrite l'embryon de la future plante. Celle-ci, quoique invisible ou très peu visible, est pourtant contenue en entier dans le germe, sous forme d'un peu de matière vivante, de réserves alimentaires et de beaucoup d'informations stockées dans les gènes. Le gland contient le chêne comme le pépin le pommier. « Graine de voyou » s'applique à une personne jeune, encore en devenir, mais dont le comportement laisse entrevoir qu'elle pourrait basculer du mauvais côté de la société, là où se tiennent ceux qui enfreignent la loi et notamment le huitième commandement : « Tu ne voleras pas. » Il est curieux que l'expression se soit figée dans un sens négatif, et que n'existe pas un équivalent positif comme « graine d'honnête homme ». C'est le reflet de la tendance de l'être humain à ne voir souvent que le mauvais côté des choses.

Faire flèche de tout bois

Dans un autre état de l'humanité, avant l'urbanisation puis la société industrielle, l'homme vivait en autarcie dans son milieu. Il était capable de fabriquer les outils dont il avait besoin à partir des ressources de la nature environnante. Pour chasser, il fabriquait des flèches, et sa fine connaissance des caractéristiques de chaque essence de bois lui en faisait préférer certaines pour cet usage particulier. Il ne fabriquait pas une flèche avec n'importe quel bois. Au sens figuré, faire flèche de tout bois pour obtenir quelque chose ou résoudre un problème signifie envisager et éventuellement tester toutes les solutions possibles, et pas seulement celles qui paraissent les plus rationnelles ou les mieux adaptées. En somme, c'est se montrer pragmatique.

En avoir gros sur la patate

Autrefois, quand la médecine n'était pas une science, le cœur était considéré comme l'organe responsable des sentiments. Il nous reste de cette époque des locutions encore très vivantes comme « peines de cœur », « courrier du cœur » ou « avoir le cœur sur la main ». Avoir le cœur gros, en avoir gros sur le cœur ou sur la patate signifie avoir envie de pleurer, éprouver du chagrin ou du ressentiment. Par quel tour de magie le cœur s'est-il transformé en légume ? Probablement est-ce dû à la popularité de ce gros tubercule chez les gens du peuple, pour qui il représente une nourriture appréciée. La substitution de la patate au cœur donne en effet un tour populaire à une expression appartenant à l'origine au langage soutenu.

Un cœur qui bat sous l'écorce

Le tronc d'arbre est l'image même de l'immobilité, de la solidité, de l'impassibilité. Son écorce rugueuse, destinée à protéger le bois vivant des agressions extérieures, n'incite pas vraiment aux élans de tendresse. Rien à voir avec la mollesse et la douceur de certains duvets végétaux. Imaginer qu'un cœur peut battre sous l'écorce, c'est admettre au sens figuré qu'un individu de caractère bourru, d'aspect extérieur rude, puisse avoir une réelle sensibilité intérieure. D'ailleurs, quand on cause un chagrin à quelqu'un, ne dit-on pas qu'on lui fend le cœur, comme on fend du bois ?

Une grosse légume

Un gros légume se trouve sur les étals des marchés ou chez les jardiniers amateurs aimant concourir pour la photo de la tomate la plus monstrueuse ou du haricot vert le plus long. Une grosse légume se trouve par contre au Rotary Club, dans les salons feutrés des hautes administrations ou dans les bureaux high-tech des grandes entreprises.

C'est un notaire ou un colonel dans une ville de province, un ministre ou un PDG du CAC 40 à Paris. Bref, une grosse légume est une personne importante, appartenant aux classes supérieures, ayant beaucoup d'influence dans sa région ou son domaine. L'expression est limpide. L'adjectif « grosse » rappelle l'influence de la personne ainsi désignée. Le nom « légume », une chose banale et sans importance, donne un côté ironique au jugement de valeur ainsi prononcé par le contraste entre la personne évoquée et la chose qui l'évoque. Mais pourquoi mettre « légume » au féminin, alors que c'est un nom masculin depuis toujours ? Peut-être pour accentuer encore ce contraste dévalorisant, car malheureusement le féminin a longtemps passé pour inférieur au masculin.

Aller aux fraises

La grosse fraise moderne, originaire d'Amérique, n'est apparue que tardivement dans les jardins, à la fin du XVIIIe siècle. Pendant longtemps, seule la petite mais très parfumée fraise des bois était cultivée et surtout ramassée dans la nature. Plante de mi-ombre, elle se trouve en lisière des bois, au bord des haies et des chemins ombragés.

Aller aux fraises est un euphémisme coquin pour suggérer à un(e) partenaire éventuel(le) de s'isoler dans un endroit tranquille, comme peut l'être un bois où poussent des fraisiers, afin de pouvoir se consacrer tranquillement aux ébats amoureux.

Cette activité demande de la discrétion, et ce n'est pas le moment de « ramener sa fraise », c'est-à-dire de se faire remarquer sans y avoir été invité.

Sucrer les fraises

La fraise est un fruit très parfumé, mais souvent acide et peu sucré. Aussi est-il recommandé de les saupoudrer de sucre afin d'atténuer l'acidité et de mieux faire ressortir le parfum des fruits. Le geste de saupoudrer se résume à de brefs et rapides mouvements de la main.

Les personnes âgées victimes de maladies ou d'affaiblissement du système nerveux, les alcooliques ou les personnes sujettes à une grande frayeur sont victimes de tremblements incontrôlés, en particulier des mains.

La signification de l'expression tire son origine de l'analogie entre le geste volontaire et involontaire.

Sucrer les fraises, c'est donc être pris de tremblements incontrôlés.

Petitesse du destin de l'être humain : il va aux fraises quand il est jeune (voir p. 40), et il les sucre quand il est vieux.

Être rouge comme une tomate

L'hémoglobine, substance indispensable au transport de l'oxygène par le sang, colore celui-ci en rouge. Quand une émotion nous submerge et provoque un stress, le corps réagit souvent par une accélération de la circulation sanguine, afin de mieux irriguer nos organes. Cette accélération est visible sur les parties du corps où la peau est fine et les vaisseaux sanguins nombreux, comme le visage et en particulier les joues, qui rougissent.
Plus l'émotion est forte, plus la coloration est intense.
Être rouge comme une tomate, mais on peut dire aussi comme un coquelicot ou une pivoine, deux fleurs aussi colorées que ce légume, c'est donc manifester une émotion particulièrement forte comme la timidité, la gêne, la honte, la colère.

Couper la poire en deux

Cette métaphore n'a pas besoin de longues explications car elle parle à tout le monde. Il s'agit soit de donner partiellement satisfaction à chaque partie dans un différend qui les oppose, soit de renoncer à certaines de ses prétentions dans un conflit pour parvenir à une solution. L'expression n'est apparue qu'à la fin du XIXe siècle, et cette relative jeunesse explique que son sens figuré soit aussi clair. Elle nous montre également l'apaisement des mœurs humaines au fur et à mesure de la progression de la civilisation. Les adeptes modernes du compromis ne coupent plus que des poires en deux. Salomon, dans un très célèbre jugement rapporté par la Bible, proposait de couper un bébé en deux pour satisfaire deux femmes qui en revendiquaient la maternité.

Faire le poireau

Cette expression vieillie a donné le verbe « poireauter », de même signification, toujours très vivant aujourd'hui. C'est attendre longtemps à une même place, comme un poireau fiché dans la terre du potager. La silhouette d'un poireau, gros fût surmonté de quelques feuilles retombantes, rappelle vaguement celle d'un être humain. Comme les poireaux font partie des rares légumes à passer la mauvaise saison en terre, arrachés au fur et à mesure des besoins, il reste souvent quelques poireaux dispersés dans les plates-bandes à la fin de l'hiver. Ils semblent attendre on ne sait quoi, comme le malheureux ou la malheureuse à qui l'on a posé un lapin.

Tomber dans les pommes

Quelqu'un qui tombe dans les pommes au sens propre s'étale au verger en automne sur les fruits au sol après que son pied a roulé sur l'un d'eux. Au sens figuré, il s'évanouit et tombe simplement sur le sol.
Que viennent faire les pommes dans cette affaire ? Certains lexicographes rapprochent pommes de « pâme », « pâmoison », mots anciens pour qualifier l'évanouissement. Mais l'expression n'est connue que depuis la fin du XIXe siècle, et ces mots ne sont plus d'usage courant depuis la Renaissance. D'autres la rapprochent de l'expression « être dans les pommes cuites », qui signifiait au XIXe siècle « être fatigué », comme nous disons encore aujourd'hui que nous sommes cuits. Mais ce n'est qu'une supposition, l'origine exacte restant mystérieuse.

Raconter des salades

Quelqu'un qui raconte des salades dit des boniments, des mensonges. Comment la salade s'est-elle retrouvée assimilée au mensonge ? Une expression proche, « bien vendre sa salade », nous donne la solution. Elle signifie être convaincant, et se réfère au bagout des vendeurs des quatre saisons : « Qu'elle est belle ma salade, qu'elle est belle… » Les vendeurs n'ayant pas la réputation de dire toujours la vérité, mais au contraire de l'arranger ou de la cacher quand c'est nécessaire pour convaincre le client, le rapprochement entre mensonge et salade s'est fait naturellement. C'est vrai, je ne vous raconte pas de salades.

Le diamètre d'une branche étant directement lié à son âge, les branches les plus solides qui se rattachent au tronc sont donc les plus âgées. On peut se reposer sur elles les yeux fermés. Les bons copains d'enfance, d'études ou de régiment, pour ceux qui ont connu le service militaire, méritent ce qualificatif de vieille branche. Quand l'amitié a survécu aux années et aux aléas de la vie, elle se transforme souvent en solidarité. On peut se reposer en cas de besoin sur une vieille branche au figuré comme sur une vieille branche réelle. À condition qu'elle ne soit pas pourrie, sinon c'est la chute assurée !

Ma vieille branche

Valoir son pesant de cacahuètes

Autrefois, la valeur de la monnaie métallique était donnée par son poids. L'or, métal le plus précieux, avait la valeur la plus élevée pour un poids donné. Quelque chose valant son pesant d'or, c'est-à-dire qui s'échangeait contre un poids égal d'or, était donc une marchandise précieuse, des épices par exemple.
La cacahuète, graine huileuse incontournable au moment de l'apéritif, est au contraire une marchandise sans valeur ou presque. Si les amis avec lesquels vous prenez un verre vous disent que les réflexions que vous estimez profondes valent leur pesant de cacahuètes, songez sérieusement à arrêter l'alcool. Il vous embrume trop le cerveau.

Avoir le cerveau qui baigne dans de la confiture de coing

Le coing est un fruit au goût âpre, impossible à manger cru. Mais il est délicieux cuit et sucré, sous forme de pâte et de gelée. Dans l'imaginaire humain, le dur est une qualité, et le mou un défaut. Avoir la cervelle ramollie, par exemple, signifie avoir perdu tout ou partie de ses facultés intellectuelles. Avoir le cerveau qui baigne dans quelque chose d'aussi mou que la gelée de coing ne peut que le ramollir, et donc l'expression sous-entend une baisse visible de l'intelligence de la personne ainsi qualifiée. Pourtant, la science a montré depuis longtemps que le cerveau est surtout composé de graisse, et que la mollesse est une qualité, et non, dans ce cas, un défaut.

Rester planté là

Quelqu'un qui reste planté quelque part attend sans bouger de place.

L'une des principales différences entre les animaux dont nous faisons partie et les plantes réside dans la capacité de déplacement volontaire des premiers.

Les plantes, au contraire, sont fixées au sol par leurs racines et ne se déplacent pas. Être planté quelque part, c'est y être comme enraciné.

Une plante convenablement soignée finit toujours par fleurir. C'est la même chose pour certains amoureux transis qui restent plantés là avec leur bouquet à la main.

Secouer le cocotier

Arbre symbole des plages tropicales, le cocotier envoie un haut et souple tronc à l'assaut du ciel, surmonté d'une couronne de grandes feuilles d'où émergent ses fruits, les noix de coco. Les enfants de ces régions savent grimper habilement le long des troncs pour aller décrocher les noix au jus désaltérant et à la pulpe parfumée.

Les personnes moins agiles mais plus musclées peuvent faire bouger vigoureusement le tronc pour secouer la couronne et faire tomber les noix.

Au sens figuré, l'expression signifie remettre brutalement en question des habitudes, des avantages acquis, des personnes à la position bien assise. Ce sont souvent les jeunes ambitieux qui veulent secouer le cocotier, pour faire tomber les vieilles noix. En faisant attention de ne pas s'en prendre une sur la tête, car elles sont dures et lourdes. Ce serait le K.-O. assuré.

Appuyer sur le champignon

Telle une succession de couches géologiques pleines de fossiles, la langue conserve des traces de nombreuses réalités d'autrefois aujourd'hui disparues. Pendant plusieurs décennies, aux débuts de l'industrie automobile, la pédale d'accélérateur était constituée d'une tige métallique sur laquelle était soudée une pièce ronde pour que le pied puisse facilement appuyer dessus.
Cette pédale primitive avait donc la forme d'un champignon. Appuyer sur le champignon, c'est appuyer sur l'accélérateur au sens propre, c'est accélérer ou aller vite au sens figuré. Mais gare à la prune, l'amende en style familier, si la limitation de vitesse est dépassée.

Prendre la clé des champs

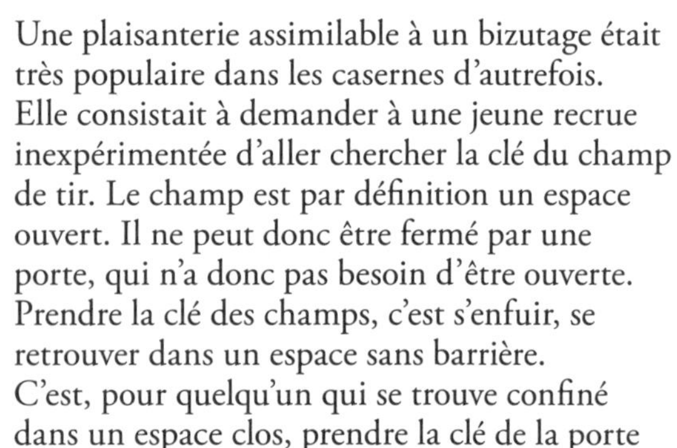

Une plaisanterie assimilable à un bizutage était très populaire dans les casernes d'autrefois. Elle consistait à demander à une jeune recrue inexpérimentée d'aller chercher la clé du champ de tir. Le champ est par définition un espace ouvert. Il ne peut donc être fermé par une porte, qui n'a donc pas besoin d'être ouverte. Prendre la clé des champs, c'est s'enfuir, se retrouver dans un espace sans barrière.
C'est, pour quelqu'un qui se trouve confiné dans un espace clos, prendre la clé de la porte qui ouvre sur les champs, donc sur la liberté. Ce n'est pas une liberté octroyée d'en haut, reçue passivement, mais conquise volontairement. C'est la liberté du prisonnier qui réussit à franchir les murs de son cachot.

C'est bête comme chou

Le chou cabus, avec sa grosse forme arrondie, a servi dans le langage populaire d'autrefois aussi bien à désigner la tête, comparaison encore vivante aujourd'hui, que les fesses. L'expression « c'est bête comme chou », qui qualifie une action très simple à réaliser ou une chose facile à comprendre, semble dériver de ce dernier sens.
À l'origine, l'expression voulait dire « très bête », puisqu'un cul, aussi rebondi soit-il, n'a pas de cervelle et qu'une tête de chou désignait un sot depuis le XVIe siècle. Puis le sens a dérivé pour désigner quelque chose de si simple que même une personne sotte ou sans cervelle est capable de la réaliser ou de la comprendre.

Avoir la banane

Prenez deux oranges et une banane.
Posez les deux oranges l'une près de l'autre, et la banane en dessous. Et vous obtenez un personnage aux grands yeux globuleux, souriant ou triste selon le sens dans lequel vous avez posé la banane.
L'inventeur anonyme de cette expression était un optimiste. Il voyait dans la forme courbe de la banane l'évocation d'un large sourire, proche de l'éclat de rire, et non une moue triste. Avoir la banane, en effet, c'est avoir un sourire jusqu'aux deux oreilles.

Avant le moteur à explosion et la voiture pour tous, les animaux étaient indispensables pour se déplacer ou transporter des marchandises. Les possesseurs d'ânes, animaux réputés à tort ou à raison être têtus, avaient deux possibilités pour les faire obéir. Soit exploiter leur gourmandise en les récompensant par une délicieuse carotte à la chair fraîche et croquante, soit les contraindre par la force en les menaçant du bâton. Toute personne se trouvant à un poste quelconque d'autorité est confrontée régulièrement à ce dilemme de la carotte et du bâton. Vaut-il mieux motiver par l'attrait d'une récompense ou par la peur d'une punition ? Image ou bonnet d'âne à l'école, médaille ou corvée à l'armée, prime ou licenciement dans l'entreprise, nous sommes depuis l'enfance traités comme des ânes.

La carotte

et le bâton

Se mettre en rang d'oignons

Le cordeau est un instrument de base de tout bon jardinier. Longue ficelle entre deux piquets, il permet de tracer des lignes bien droites pour semer ou planter. L'expression imagée « tracé au cordeau » est couramment employée pour signifier la rectitude. Les oignons plantés au cordeau sont donc parfaitement alignés. Se mettre en rang d'oignons, c'est se mettre sur une ligne bien droite, sans une tête qui dépasse, ce qui aurait fait plaisir à des générations d'adjudants chargés d'instruire les recrues. Mais pourquoi avoir choisi l'oignon plutôt que le chou ou la carotte, eux aussi plantés ou semés au cordeau ? Probablement parce qu'avec une tige droite et épaisse qui sort du sol et se termine par quelques feuilles recourbées évoquant vaguement des bras, la silhouette de l'oignon se rapproche de celle d'un être humain stylisé.

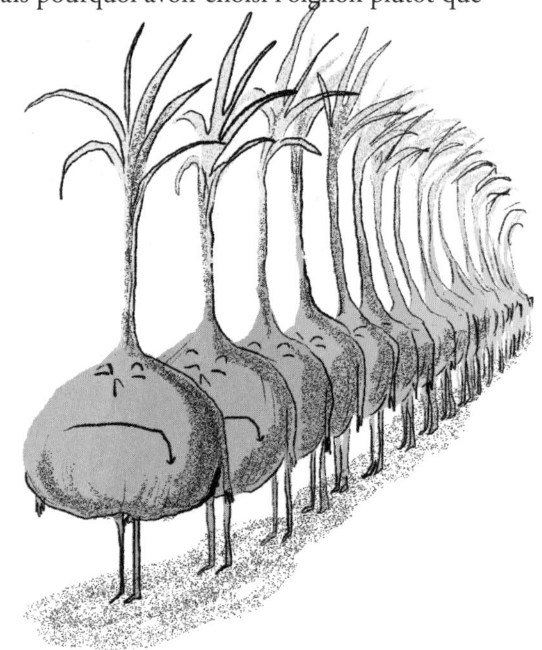

Scier la branche sur laquelle on est assis

C'est une chute, aux deux sens du terme, classique dans les dessins animés hollywoodiens de la grande époque 1940-1950. Pour que l'effet comique soit garanti, il faut bien sûr que le personnage, en général niais ou fou, scie la branche entre le tronc et l'endroit où il est assis.
Par analogie, le scieur qui va provoquer son propre malheur est celui qui combat ou critique une personne dont sa propre situation dépend, ou bien un état de fait dont il tire personnellement profit.
Certains pince-sans-rire font remarquer qu'il n'est pas besoin de scier une branche sur laquelle on est *à six* pour qu'elle casse, le surpoids suffit.

Avoir un cœur d'artichaut

Manger un artichaut se mérite. Pour accéder au cœur, partie comestible, il faut enlever feuilles et poils. Mais quel délice alors ! une chair au goût fin et, si elle est cuite à point, tendre, moelleuse, fondante dans la bouche. Cette dernière qualité est à l'origine de l'expression populaire. Une personne qui a un cœur d'artichaut a de l'amour à revendre et le partage souvent avec plusieurs personnes. Elle fond en larmes à la moindre émotion un peu forte – triste ou joyeuse –, ce qui en fait un très bon public pour les mélos à l'eau de rose.

Avoir le nez en chou-fleur

Comme sa variante « avoir les oreilles en chou-fleur », cette expression fait irrésistiblement penser aux portraits composés de végétaux ingénieusement disposés du peintre italien de la Renaissance Giuseppe Arcimboldo (1527-1593). Avec son foisonnement d'ondulations rugueuses, le chou-fleur associé au mot « nez » fait immédiatement image dans notre esprit.
Nous voyons un gros nez gonflé et proliférant, mais plutôt pâle que rouge. Ce qui l'éloigne de celui des ivrognes, qui fait plutôt penser à une grosse fraise.
Le malchanceux qui a un nez en chou-fleur, un teint de navet (voir p. 97) et un pois chiche dans la tête (voir p. 121) peut au moins se consoler en pensant qu'il a sous la main tous les ingrédients pour faire une bonne soupe !

Manger les pissenlits par la racine

Au printemps, le pissenlit couvre les prairies de ses fleurs jaune d'or. Cette plante vivace accumule dans sa grosse racine pivotante des réserves lui permettant de développer une belle rosette de feuilles à la fin de l'hiver. C'est le moment idéal pour la cueillette des pissenlits, tant que le bouton floral n'est pas apparu. Ensuite, la plante devient très amère. Les feuilles composent d'excellentes salades, délicieuses quand elles sont rehaussées de tranches d'œufs durs, de lardons ou de gésiers de volaille revenus à la poêle. Manger les pissenlits par les feuilles est donc une activité très agréable. Les manger par la racine, beaucoup moins. Car pour atteindre l'extrémité de ses racines, il faut se trouver à une certaine profondeur dans le sol. Donc non seulement il faut être mort, mais aussi enterré.

Bête à manger du foin

Être bête, c'est être sot, niais, bref ne pas plus réfléchir qu'un animal. Ce n'est pas un compliment, loin de là. Mais être bête à manger du foin, au point non seulement de ne pas être plus intelligent qu'un animal, mais de se comporter comme lui, c'est une injure. Une expression très proche n'a pas du tout la même signification : « Faire la bête pour avoir du foin » signifie ruser en se faisant passer pour un niais afin de soutirer des informations à son interlocuteur. Celui-ci, s'il tombe dans le panneau, mérite bien d'être qualifié de bête à manger du foin.

Être élevé dans du coton

Le coton est une fibre naturelle recouvrant les graines d'un arbuste tropical, le cotonnier. Elle est filée et tissée depuis le néolithique. Être élevé dans du coton, ce n'est pas être habillé des pieds à la tête en jeans, la plus célèbre des toiles de coton. Car cette fibre est aussi largement employée sous forme d'ouate pour faire des rembourrages ou des pansements. L'expression désigne un enfant surprotégé par ses parents, ne sentant pas les coups que nous fait subir la vie, ou bien de manière très atténuée, grâce à l'atmosphère ouatée qui l'entoure. Est-ce un bien, est-ce un mal ? À chacun de juger en fonction de son expérience personnelle. Mais il est certain que, lorsqu'il faut affronter la vraie vie, la transition peut être brutale. Le prince indien Siddharta Gautama, élevé dans du coton par ses parents, changea complètement de vie le jour où, adolescent, il prit conscience de l'existence de la maladie et de la mort en voyant pour la première fois un vieillard. Il eut une illumination, devint Bouddha et prêcha une nouvelle religion.

Faire le fayot

Terme d'argot militaire et scolaire pour qualifier le haricot, « fayot » est un mot issu du provençal *faiou*, de même sens. Faire le fayot, ou fayoter, c'est faire du zèle pour se faire bien voir du sous-off, du prof ou de tout supérieur. Car il est possible de fayoter partout où existe une hiérarchie quelconque.
Le cafteur, le lèche-bottes, pour prendre des termes synonymes du fayot, est un personnage méprisé par ses camarades. Il n'est donc pas étonnant qu'il ait hérité du nom du légume le plus souvent servi autrefois dans les cantines des casernes et des collèges, à la fois très apprécié parce qu'il soulage la faim et méprisé pour sa banalité. Sans parler des flatulences qu'il provoque, source inépuisable de grosses plaisanteries. Le fayot, finalement, ne serait-il pas celui qui veut péter plus haut que son cul ?

Avoir la moutarde qui monte au nez

Plante voisine du chou, la moutarde donne des graines à la saveur piquante utilisées depuis la nuit des temps comme condiment et comme remède une fois réduites en farine. Avant les antibiotiques, les anciens soignaient les refroidissements avec des cataplasmes chauds de farine de moutarde étalés sur la poitrine et le dos.
La circulation sanguine est stimulée jusqu'au visage, qui rougit alors par afflux de sang.
Les effluves qui en émanent contribuent à dégager le nez et les voies respiratoires. Quand vous avalez une trop grande quantité de moutarde forte, condiment fabriqué en délayant de la farine de moutarde dans du vinaigre, l'effet est similaire. Par comparaison avec ces effets visibles de la farine de moutarde, l'expression signifie quela personne va se mettre en colère, sentiment violent qui se traduit souvent par un brusque afflux du sang au visage.

Ça ne sent pas la rose

La rose est l'un des parfums les plus appréciés par l'être humain depuis l'Antiquité. Il a servi et sert toujours à parfumer son corps ou l'eau du bain, mais aussi les crèmes et les onguents et même certains plats. Sentir la rose, c'est donc sentir très bon. Le contraire se comprend immédiatement. Puisque l'odeur de la rose est parmi les plus agréables, son contraire se classe parmi les odeurs les plus nauséabondes. Bref, ne pas sentir la rose, on dit parfois ne pas sentir la violette pour les mêmes raisons, c'est puer, cocotter, schlinguer, etc., pendants populaires et vulgaires de cette expression qui appartient au langage du beau monde, celui qui s'y connaît en parfums de luxe.

Naviguer dans une coquille de

noix

La demi-coquille d'une noix, pointue d'un côté et arrondie de l'autre, ressemble à la coque ventrue d'un bateau. Les enfants d'autrefois, qui ne disposaient pas de l'abondance de jouets manufacturés qui submerge nos bambins actuels, fabriquaient de petits navires munis d'un mât et d'une voile avec des coquilles de noix. Ces frêles esquifs flottent bien mais sont très sensibles au moindre remous du courant ou au moindre coup de vent un peu fort.

Par analogie, un petit bateau laissant augurer une navigation peu sûre et mouvementée sur une mer un peu forte est assimilé à une coquille de noix. Mais dans l'affaire, l'habit ne fait pas forcément le moine. Combien de coquilles de noix sont arrivées à bon port malgré la tempête, alors que le *Titanic*, géant des mers, n'a même pas été capable d'achever sa première traversée…

Être dans les choux

Un sportif dans les choux, même s'il est jardinier à ses heures perdues, est mal parti parce qu'il est distancé par ses concurrents. Se retrouver dans les choux, c'est être dans l'embarras, perdre, échouer dans son action. Les linguistes appellent « paronymie » la contamination de sens de deux mots dont les prononciations sont voisines, comme « les choux » et « échouer ». Par évolution paronymique, être dans les choux a signifié être dans l'échec.

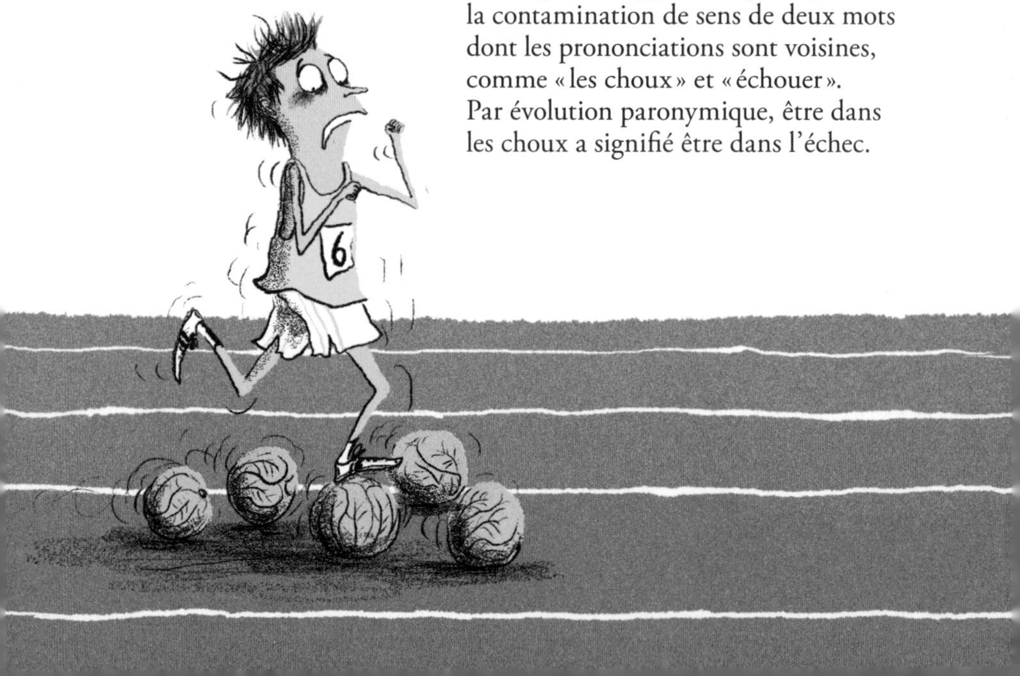

3
22

Avoir le melon

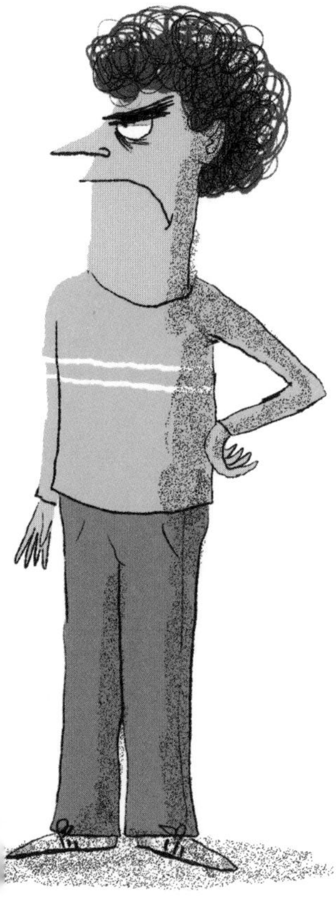

La tête, partie du corps humain importante s'il en est, est désignée dans le langage populaire par de nombreux synonymes dont la plupart qualifient des choses de forme plus ou moins similaire, comme le citron ou la poire, qui apparaissent dans d'autres pages de ce livre (voir p. 123 et pp. 26 et 109).
Le melon, gros fruit arrondi, convient très bien pour une comparaison de ce genre.
Avoir le melon, ou prendre le melon, c'est avoir la grosse tête, avoir les chevilles qui enflent, ne plus se sentir, bref devenir prétentieux à la suite d'une réussite quelconque, récompense, promotion, succès commercial ou médiatique, etc.
Cette expression peut s'appliquer à n'importe qui, sauf à nos amis anglais qui, lorsqu'ils ont le melon, sont simplement habillés selon les conventions traditionnelles des membres influents de la City, la Bourse londonienne.

Recevoir une volée de bois vert

Cette expression qui sent bon la campagne évoque un mot tombé en désuétude. Une volée, qui survit aussi dans la locution « recevoir une volée », qualifie une série de coups rapprochés et nombreux, par analogie avec un groupe d'oiseaux en vol. Le bois vert, chargé de sève, est souple et cingle bien mieux qu'un bâton de bois sec.

La volée de bois vert était un châtiment corporel destiné à faire mal, dont on menaçait les enfants. Aujourd'hui, elle n'existe plus qu'au sens figuré. Elle menace par exemple l'auteur d'un livre, disons au hasard sur les expressions botaniques, dont l'ouvrage est jugé négativement par les critiques et autres personnes s'exprimant publiquement. Cela fait autrement plus mal à l'amour-propre qu'une vraie volée de bois vert aux fesses.

Lâche-moi la grappe

Quand quelqu'un vous ennuie ou vous importune, l'énervement ou l'exaspération peut vous conduire à le prier de vous lâcher la grappe, même si vous n'êtes pas en train de déguster du chasselas ou du muscat.

La grappe de raisin est composée d'une tige ramifiée sur laquelle s'accrochent les grains charnus. Le sexe de l'homme, avec le pénis et les deux testicules, peut être assimilé à une grappe sommaire. Dans cette expression populaire, la grappe est donc un euphémisme pour désigner les organes sexuels masculins. Cette origine est aujourd'hui oubliée, puisque aussi bien filles que garçons peuvent demander qu'on leur lâche la grappe.

Quand les carottes sont cuites au sens propre, le cuisinier ou la cuisinière peut inviter les convives à se mettre à table. Le plat est prêt à être servi. Au sens figuré, c'est une manière de dire que c'est fini, que tout retour en arrière est impossible. L'expression s'emploie souvent, mais pas seulement, pour signifier que quelqu'un vient de mourir.
Pierre Dac, dont l'esprit égalait la gourmandise, a été l'un des piliers de la radio de la France libre à Londres. Il a fait remarquer avec justesse, dans *Les Pensées* (Éditions du Cherche-Midi, 1972), que « quand les carottes sont cuites, c'est la fin des haricots » (voyez p. 11).
Toujours pragmatiques, les Anglais ont utilisé l'expression comme message codé pour mettre en alerte certains réseaux de résistance au moment du débarquement de Normandie. L'histoire a montré que les carottes étaient effectivement cuites pour l'armée allemande.

Les carottes sont cuites

Les feuilles, large surface attachée aux rameaux par une mince queue, sont agitées dès que souffle un peu de vent. Un peuplier, par la conformation particulière de ses feuilles, est si sensible au moindre courant d'air qu'il a été baptisé du nom populaire de tremble. La peur étant censée provoquer des tremblements chez l'être humain, trembler comme une feuille signifie être transi de peur.

Trembler comme une feuille

Pas de roses sans épines

Le plaisir de sentir ou de contempler une rose peut se payer de la douleur de se faire piquer avec ses épines. Le rosier est un tout, il faut prendre les fleurs avec les épines. L'expression est employée au sens figuré pour rappeler que toute chose a des avantages et des inconvénients indissociables, et qu'on ne peut pas profiter des uns sans subir les autres. Cette expression risque de vieillir très vite, les pépiniéristes ayant mis sur le marché ces dernières années plusieurs variétés de roses sans épines.

Une pomme de discorde

Cette expression nous vient du poète grec Homère (VIIIe siècle av. J.-C.). Lors des noces de la déesse Thétis et du roi Pélée (le guerrier grec, pas le footballeur brésilien), tous les dieux de l'Olympe furent invités, sauf Éris, déesse de la Discorde. Pour se venger, cette dernière lança au milieu de la noce une pomme d'or sur laquelle elle avait écrit : « À la plus belle ». Héra, Athéna et Aphrodite se la disputèrent et, pour les départager, Zeus décida que ce jugement serait rendu par un mortel, Pâris, fils du roi de Troie.
Pour acheter sa décision, Athéna lui promit force et vaillance guerrière, Héra puissance et richesse et Aphrodite l'amour d'Hélène, la plus belle des mortelles. Pâris offrit la pomme de discorde à Aphrodite, alla enlever Hélène à son mari le roi de Sparte et se réfugia chez son père, ce qui déclencha la guerre de Troie. Depuis que les humanités ne sont plus obligatoires au lycée, l'histoire est bien oubliée, mais l'expression est toujours employée.

Mettre du

piment
dans la vie

Le piment fait partie de ces richesses que le Nouveau Monde nous a offertes après sa découverte par Christophe Colomb. La saveur de ce condiment est si forte que quelques pincées suffisent à relever le goût du plat le plus fade. Quelqu'un qui met du piment dans sa vie se lance dans des projets, des activités ou des actions qui cassent le rythme quotidien du banal métro-boulot-dodo. Ce n'est pas changer de vie, c'est la rendre moins ennuyeuse. Ce point de vue n'est valable que pour les humains. Le piment a une redoutable action insecticide.
Par exemple, l'huile d'olive pimentée qui sert à agrémenter les pizzas est un remède radical pour se débarrasser des cochenilles qui pullulent sur certaines plantes vertes. Mettre du piment dans la vie d'un insecte revient souvent à le tuer.

Avoir la pêche

Pêche est l'un des nombreux synonymes populaires de coup de poing, comme châtaigne ou marron, traités plus loin dans ce livre (voir pp. 98-99).
Donner des pêches, c'est donner des coups.
Dire de quelqu'un qu'il a de la pêche, c'est sous-entendre qu'il est plein d'énergie, capable de se battre. Les objets sont aussi concernés, puisqu'on peut par exemple donner de la pêche à une voiture en trafiquant son moteur. Puis l'expression s'est simplifiée en « avoir la pêche », qui ne s'applique qu'aux individus. Et comme l'être humain est un infatigable inventeur de mots, est apparu l'adjectif dérivé « pêchu », formé sur une terminaison peu répandue, qu'on retrouve dans « bourru » par exemple. Si votre oncle pêcheur se réveille pêchu le jour de l'ouverture, les poissons n'ont qu'à bien se tenir !

Être encore plein de sève

La sève est le sang des plantes, et en particulier des arbres. C'est elle qui, irriguant les rameaux les plus périphériques des branches, permet aux bourgeons, aux feuilles, aux fleurs, aux fruits de se développer et de remplir leur tâche. Que la sève cesse de parvenir à une branche pour une raison quelconque, et celle-ci se dessèche peu à peu puis meurt. D'après la croyance populaire, avec laquelle les botanistes, notons-le au passage, ne sont pas d'accord, la vieillesse d'un arbre est assimilée au tarissement progressif de la circulation de la sève.
Au sens figuré, une personne pleine de sève ne fait pas son âge, est encore très active, ne présente pas ou peu les handicaps de la vieillesse. L'expression sous-entend souvent une sexualité encore active, comme la locution voisine « un vieillard encore vert » ou le surnom de Vert-Galant appliqué au roi Henri IV, si féru d'aventures féminines, le feuillage ne pouvant rester vert que si la sève circule.

Remporter la palme

La palme est la feuille très découpée du palmier, arbre des régions chaudes du globe présent naturellement au sud de la Méditerranée et aujourd'hui largement planté au nord. Stylisée, elle a servi de modèle à divers motifs décoratifs en architecture ou sur les tissus. Dans l'Antiquité, les vainqueurs défilaient lors de leur triomphe avec une palme à la main. Remporter la palme, c'est donc remporter une épreuve, triompher.

L'iconographie chrétienne a repris cette tradition dans la représentation des saints morts pour leur foi, d'où l'expression « obtenir la palme du martyre ». Aujourd'hui, il n'y a plus guère de martyrs. En revanche, en France, de nombreuses personnes obtiennent chaque année les palmes académiques, ordre honorifique créé par Napoléon Ier en 1808 pour récompenser les services rendus par les enseignants et autres membres de la communauté éducative.

Être marron

Être marron, ce n'est pas prendre la couleur du chocolat, comme le sens propre le laisserait penser, mais c'est être dupé, être perdant dans une affaire quelconque. Peut-être par parallélisme, « être chocolat » a exactement le même sens.
Cette expression est un faux ami. Elle ne vient pas du fruit de même nom, mais de l'adjectif « marron », issu du français des Antilles, venant lui-même de l'espagnol *cimarron* désignant un montagnard. Il servait à qualifier un animal domestique redevenu sauvage dans la montagne, puis un esclave en fuite. L'expression semble avoir évolué de « être en fuite » à « être perdant, dupé », parce que les esclaves en fuite étaient souvent repris. La connotation négative de l'adjectif se retrouve dans d'autres expressions, comme « un notaire marron » pour désigner un tabellion prenant des libertés avec lois et règlements.
Aussi, si vous êtes marron dans une affaire et que vous décidez de porter plainte, évitez de prendre un avocat marron pour vous défendre !

Apporter des oranges à quelqu'un

L'orange est un fruit banal, qui se trouve presque toute l'année sur les étals des magasins.
Mais jusqu'à l'apparition du réseau de chemins de fer au XIXe siècle, c'était un fruit qu'on ne pouvait manger que dans la région méditerranéenne, où le climat est suffisamment chaud pour autoriser sa culture.
Puis le transport rapide par train a permis sa vente dans toute l'Europe, son prix le réservant aux classes très aisées de la société ou aux cadeaux exceptionnels.
Beaucoup d'enfants, il y a un siècle, recevaient seulement une orange comme cadeau de Noël et en étaient ravis.
En prison, comme au collège ou à l'armée, les repas sont roboratifs et peu variés.
Les prisonniers peuvent agrémenter un peu leur quotidien grâce aux cadeaux que leurs proches leur apportent à l'occasion des visites.
Parmi ces petites gourmandises, les oranges ont longtemps tenu une bonne place.
Dire que l'on apportera des oranges à quelqu'un, c'est sous-entendre qu'il va finir en prison. L'expression a vieilli et n'est plus guère employée, mais ce fut une plainte récurrente des mères face aux frasques des adolescents. Pour la mettre à jour, il faudrait dire désormais « je t'apporterai un téléphone portable », puisque c'est, paraît-il, l'objet interdit le plus recherché par les prisonniers d'aujourd'hui.

Semer les graines de la discorde

L'homme est un animal social, disait Aristote, et Robinson Crusoé nous prouve que la solitude absolue est une véritable prison dont chacun souhaiterait s'échapper s'il y était condamné. Mais nous sommes pleins de contradictions, et prompts à nous fâcher avec nos semblables. La discorde est si fréquente entre les hommes que les Grecs de l'Antiquité en avaient fait une déesse (voir p. 83). En semant les graines de la discorde, quelqu'un, volontairement ou involontairement, dit une parole, commet un acte qui, de fil en aiguille, va entraîner des dissensions entre deux personnes, entre deux groupes ou à l'intérieur d'un groupe.

Tirer les marrons du feu pour quelqu'un

Le marron, à l'origine, n'est pas le fruit du marronnier qui orne places et avenues de nombreuses villes. C'est une grosse châtaigne cultivée, unique dans sa bogue, alors que chez la variété sauvage la bogue contient deux ou trois petits fruits. Le marron peut se faire confire au sucre, il devient alors un marron glacé et sert de base à de délicieuses crèmes. Il peut également accompagner viandes et rôtis, entier ou en purée. Mais la façon la plus simple de le consommer est de le faire griller sur des braises et de le déguster bien chaud.
Tirer les marrons du feu pour quelqu'un signifie se laisser manipuler par une personne adroite pour assumer à sa place les inconvénients, la peine ou les dangers d'une affaire dont elle profitera seule.
En résumé, l'un tire les marrons et l'autre les bénéfices.

Herbe folle cantonnée à l'origine au bord des rivières riches en alluvions, l'ortie profite des activités humaines, culture ou élevage, qui enrichissent artificiellement les sols. Elle prolifère souvent autour des bâtiments, où déjections des animaux domestiques comme déchets végétaux s'accumulent. Avide de fer, elle pousse plus vigoureusement encore dans les zones de dépotoir où boîtes de conserve, vieux outils agricoles ou épaves de voiture sont abandonnés. Jeter quelque chose aux orties, c'est s'en séparer, la mettre au rebut. À l'origine, l'expression ne concernait que l'abandon de l'état religieux par un moine : jeter son froc aux orties, le froc étant la robe monastique. Comme il n'y a plus guère de vocations pour entrer dans les monastères, l'expression s'est raccourcie et sa signification s'est élargie. Si elle s'était maintenue identique, sa signification aurait forcément évolué. Un froc étant désormais un pantalon en argot, dire « cet été il/elle a jeté son froc aux orties » n'aurait pu signifier qu'une chose : que cette personne est adepte du naturisme sur les plages.

Jeter quelque chose aux orties

Donner des truffes à manger à un cochon

Avec le caviar et le foie gras, la truffe est le symbole des aliments de luxe, réservés uniquement aux repas de fête pour la plupart des gens. Il est vrai que son prix au kilo atteint des sommets certaines années. Le cochon, qui se roule dans la boue, est le symbole de l'animal sale et dégoûtant. Sa viande est l'une des moins chères sur le marché. Il est donc à l'opposé de la truffe.

Au sens figuré, l'expression, avec sa variante « donner de la confiture aux cochons », signifie donner quelque chose de précieux à une personne qui n'est pas capable de l'apprécier. Les cochons sont calomniés dans cette affaire. Ce sont des animaux très intelligents, et très propres quand les conditions d'élevage ne les condamnent pas à vivre dans leur fange. Grâce à leur odorat très fin, ils sont capables de détecter les truffes souterraines et peuvent être dressés pour leur recherche. Pour les motiver, leurs maîtres leur donnent souvent des épluchures de truffe. Donner des truffes à un cochon n'est pas une ineptie, mais au contraire un investissement rentable.

Être frais comme un bouton de rose

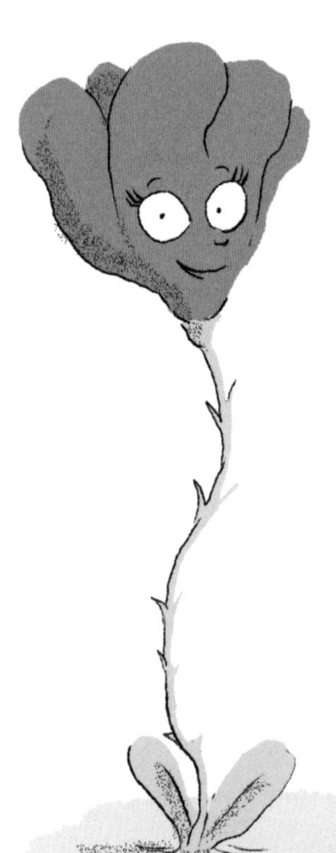

« Mignonne allons voir si la rose, qui ce matin avait éclose, sa robe de pourpre au soleil. » Ces vers intemporels de Ronsard (1524-1585) nous rappellent que depuis l'Antiquité, la rose sert à personnifier la beauté féminine et sa fragilité. Un bouton de rose est donc un concentré de beauté en devenir. Il est souvent associé à l'idée de fraîcheur, lui dont les pétales à peine entrouverts au petit matin, au velouté pastel sans pareil, retiennent quelques gouttes de rosée. Un visage frais comme un bouton de rose montre une peau lisse, veloutée, légèrement colorée, éclatante de santé et de fraîcheur, tout le contraire des personnes ayant un teint de navet (voir p. 97).

Le navet est un légume passé de mode. Il sert tout juste à faire des soupes ou à accompagner un canard rôti. Seules quelques variétés se trouvent sur les étals des maraîchers, à la peau jaune, violette et blanche ou toute blanche. C'est cette dernière variété qui a donné naissance à l'expression très imagée, mais aujourd'hui vieillie, tout comme sa variante « être blanc comme un navet ». Le navet n'est pas d'un blanc éclatant, mais terreux, presque plombé. Cette couleur évoque la peau terne et pâle, mal irriguée par le sang, de certains malades. Le meilleur remède contre le teint de navet reste la carotte, dont les pigments orange donnent une belle couleur à la peau et sont excellents pour la santé. Il est étonnant que la sagesse populaire n'ait pas créé l'expression symétrique « avoir un teint de carotte ».

Donner une châtaigne

Donner ou recevoir une châtaigne, un marron (le marron est une châtaigne unique dans sa bogue alors que la variété sauvage en comporte généralement deux ou trois), se castagner (verbe dérivé de châtaigne *via* la langue d'oc) signifient « se battre », et plus précisément « se battre à coups de poing ». La châtaigne, le marron sont en effet des fruits globuleux et durs, des sortes de poings en miniature, que, soit dit en passant, il vaut mieux donner que recevoir.

Pour corroborer ce dernier propos, rappelez-vous que l'expression « recevoir une châtaigne » a connu une spécialisation technique particulière chez les électriciens. Elle signifie prendre une petite décharge électrique, sans danger mais très désagréable.

Mi-figue, mi-raisin

La figue et le raisin sont deux fruits emblématiques de la région méditerranéenne. Tous deux, riches en sucre, peuvent se conserver longtemps après avoir été séchés sur les terrasses des maisons. Cette expression, encore courante aujourd'hui, est très ancienne et se trouve dès la fin du Moyen Âge. Madame de Sévigné l'emploie sous la forme « moitié figue et moitié raisin ».
Elle sert à souligner la présence de contraires : une chose bien et mal à la fois, une action accomplie de gré ou de force, un sentiment mêlant la satisfaction et la frustration, etc.
Elle proviendrait d'une fraude commerciale.
Les Vénitiens faisaient autrefois commerce des raisins secs de Corinthe, rares et chers en Europe occidentale. Leurs fournisseurs grecs, pour gagner davantage, s'avisèrent de mêler aux raisins des morceaux de figues, ces dernières valant beaucoup moins cher…
Les temps changent : un coup d'œil sur les étiquettes de n'importe quel magasin prouve qu'aujourd'hui ce sont les figues qui valent plus chers que les raisins.

Se prendre des tomates

Au début du XIXe siècle, le théâtre était un spectacle qui rassemblait toutes les classes de la société. On discutait, on traitait des affaires, on mangeait dans ce lieu de rendez-vous. Le public populaire exprimait bruyamment son avis sur la pièce et le jeu des acteurs. S'ils ne lui plaisaient pas, trognons de pomme, épluchures et autres restes pleuvaient sur la scène. Quand la tomate devint un légume bon marché, elle fut appréciée comme projectile : molle, elle ne risquait pas de blesser, et son impact était bien visible sur les costumes.
Avec le temps, le public du théâtre s'est assagi. Les classes populaires l'ont déserté à l'apparition du cinéma. Le jet de tomates est tombé en désuétude, les acteurs sur grand écran s'en moquant éperdument.
Seul son souvenir est resté dans la langue pour signifier le ratage complet d'un spectacle ou d'une prestation en public.
Une variante pâtissière a retrouvé un peu de vigueur ces dernières années, avec le lancer de tartes à la crème sur certains « people » très exposés médiatiquement.
Un retour partiel au passé pourrait se faire en inaugurant le lancer de pizza.

C'est un navet

D'après Claude Duneton, historien du langage, dans *La Puce à l'oreille* (Stock 1978, Balland 2001), l'origine de cette expression peut être datée très précisément. Dans les jardins du Belvédère, à Rome, se trouve une statue antique d'Apollon. Au XVIIIe siècle, certains artistes français qui visitaient la ville considéraient que, trop blanche, allongée et sans musculature bien dessinée, cette statue ressemblait à un navet épluché. Napoléon ayant momentanément transféré la statue à Paris dans le cadre de ses pillages de guerre, son surnom la suivit et passa aux tableaux mal faits, puis aux pièces de théâtre ratées et enfin aux mauvais films.
D'autres avancent une origine plus lointaine. Le navet, légume de peu de valeur, servait de substitut au mot « rien ». « Cette chose vaut des navets », c'était comme dire aujourd'hui « ça vaut des cacahuètes » (voir p. 49). Ainsi un tableau, une pièce de théâtre, un film sont assimilés à un navet quand ils n'ont aucune valeur artistique. Si le terme est toujours bien vivant, une tradition maraîchère s'est perdue : autrefois, un navet était souvent interrompu par un jet de tomates bien mûres (voir p. 101)…

roland
NAVET
678 954€

Prendre racine

Prendre racine, c'est se fixer à un endroit. Au sens propre, seules les plantes prennent racine dans le bout de terre qui verra leur vie entière se dérouler, puisque, de ce fait, elles sont incapables de se déplacer. Les racines s'infiltrent dans la terre, envoient leurs ramifications de plus en plus profondément au fil de la croissance de la plante, créant un réseau complexe. Ces deux images, immobilité et infiltration, ont nourri les sens figurés de l'expression. Quand des idées, par exemple, prennent racine dans un cerveau, dans un groupe social, c'est l'image de l'infiltration qui vient à l'esprit. En revanche, une personne prend racine dans une ville, une région, un pays quand elle se fixe après avoir beaucoup bougé, ou bien sur un bout de trottoir quand elle reste longtemps immobile, ou encore chez des amis bonnes poires qui lui offrent l'hospitalité. Dans ce dernier cas, une expression beaucoup plus récente, « s'incruster » ou « se taper l'incruste », a tendance à la remplacer. C'est aussi une métaphore botanique, puisqu'elle fait référence aux lichens en croûte qui s'incrustent sur un rocher ou un tronc.

Retirer une épine du pied

Rien n'est plus pénible qu'avoir une épine enfoncée dans la plante du pied. Impossible alors de poser celui-ci sur le sol, ou du moins de faire reposer le poids du corps dessus. La marche devient douloureuse et mal assurée.
À cette occasion, nous qui sommes si fiers de notre cerveau et qui méprisons nos pieds, nous nous rendons compte de la fonction indispensable qu'ils assurent au quotidien.
Au sens figuré, l'épine est le problème qui nous pourrit la vie, la difficulté qui perturbe le train-train quotidien et dont la suppression permet de retrouver une certaine sérénité. Notez au passage que cette expression est altruiste. Vous ne dites jamais « je me suis retiré une épine du pied », mais « Untel ou Unetelle m'a retiré une sacrée épine du pied ».

Envoyer sur les roses

Les importuns se font souvent envoyer sur les roses, surtout s'ils insistent trop, c'est-à-dire qu'on se débarrasse d'eux d'une manière cavalière, pour ne pas dire impolie ou brutale. Pourtant, la rose est le contraire de la brutalité. Son doux parfum, le contact de ses pétales veloutés, tout concourt à l'associer à quelque chose d'agréable. Les anciens Romains jonchaient de pétales de rose le sol des salles de banquet ou les voies sur lesquelles défilaient les empereurs ou les grands personnages qu'ils souhaitaient honorer.
La locution s'éclaire si l'on prend le mot « rose » non pas dans le sens de la fleur, mais dans celui de l'arbuste, du rosier. Plante épineuse, le rosier n'est pas d'un contact agréable si l'on tombe dedans, c'est le moins que l'on puisse dire. Sans compter qu'aux griffures des épines s'ajoutent les blessures d'amour-propre quand on y a été sciemment poussé par son prochain.

Se fendre la poire

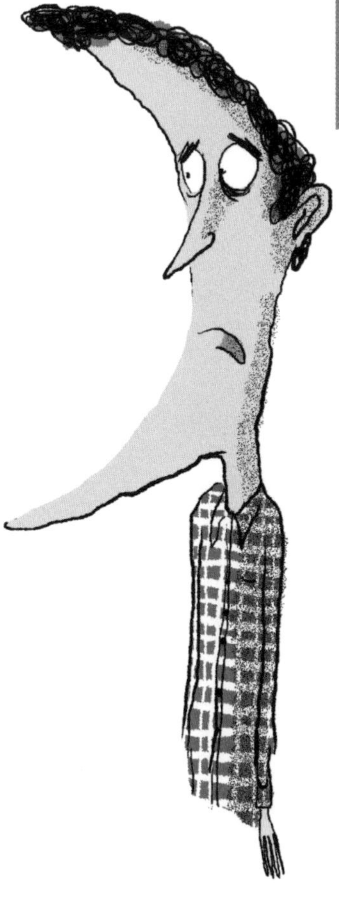

La poire, par sa forme, est assimilée à la tête. Le roi Louis-Philippe avait un visage en forme de poire qui avait inspiré le caricaturiste Daumier (1808-1879). Quand une personne rit aux éclats, sa bouche grande ouverte apparaît comme une large fente dans le visage. Se fendre la poire, c'est donc s'amuser beaucoup au point de rire. Un célèbre médecin japonais préconise des séances quotidiennes de rire car il affirme que le rire est un excellent antistress pour l'homme. En somme, d'après lui, se fendre la poire donnerait la pêche.

Rester au ras des pâquerettes

Les prairies naturelles, fauchées pour le foin ou broutées par le bétail, ont une herbe rase en hiver. L'une des premières fleurs à les agrémenter au printemps est la pâquerette, qui doit son nom à sa précocité qui la fait fleurir en abondance pour Pâques, bien qu'elle soit présente presque toute l'année. Les feuilles en rosette sont plaquées au sol, et la tige qui porte la fleur ne dépasse pas 10 cm de hauteur.
Rester au ras des pâquerettes, c'est donc être très près du niveau du sol. Bref, ça ne vole pas très haut, c'est le moins que l'on puisse dire.
L'expression exprime le désir de rester dans le concret, le pratique, et de ne pas se laisser emporter par des envolées lyriques, des spéculations, des idées théoriques.
Elle est ambivalente, pouvant à la fois ironiser sur une attitude trop terre à terre, ou au contraire valoriser une démarche de bon sens, les pieds bien accrochés sur terre.

Faut pas pousser mémé dans les orties

Quelle est cette mystérieuse mémé qu'il ne faut pas pousser dans les orties quand on veut signifier qu'il ne faudrait peut-être pas exagérer ? La personnification sympathique d'une personne âgée. Sous l'influence de l'expression « jeter quelque chose aux orties » (voir p. 93), il faut comprendre qu'on jette mémé aux orties pour s'en débarrasser. Traiter une personne comme un vulgaire objet, c'est en effet très exagéré. D'autant plus que les orties provoquent des brûlures très désagréables sur la peau avec laquelle elles entrent en contact.
La locution n'a probablement pas pris naissance dans la région de Toulouse. À en croire Claude Nougaro, « ici, même les mémés aiment la castagne » (« Toulouse », *Petit taureau*, 1967). À vouloir pousser une mémé toulousaine dans les orties, vous risquez de vous prendre une belle châtaigne dans la poire (voir p. 99) !

Se reposer sur ses lauriers

Dans l'Antiquité, le laurier était l'arbre d'Apollon. C'est pourquoi les Grecs offraient une couronne de laurier aux vainqueurs des compétitions sportives comme des concours de poésie.
Le laurier comme récompense est passé des Grecs aux Romains.
Jules César, paraît-il, aimait porter la couronne de laurier que lui avaient valu ses victoires pour cacher sa calvitie naissante.
Au Moyen Âge, la récompense perdure à l'université, d'où le terme « lauréat », qui signifie « couronné de laurier » en latin, pour désigner un étudiant ayant réussi son examen.
Le laurier étant la récompense des succès, se reposer sur eux signifie donc vivre sur une réussite passée, sans plus faire d'effort pour continuer à progresser.

Découvrir le pot aux roses

Cette expression est une énigme historique aussi passionnante pour les linguistes que le trésor des Templiers ou le destin de Louis XVII le sont pour le grand public. Toujours bien vivante, l'expression signifie trouver quelque chose de caché, et l'on imagine un pot de fleurs contenant des roses. Mais l'expression se trouve dès l'époque de Saint Louis, alors que le verbe « découvrir » signifiait seulement ôter une protection quelconque, et que les pots de fleurs sont attestés uniquement à partir du XVIIIe siècle. Il s'agit donc d'un pot dont on retire le couvercle et qui contient des roses. Le sens premier, au Moyen Âge, n'est d'ailleurs pas de trouver un secret que l'on ignore, mais au contraire de laisser échapper un secret que l'on doit cacher.
Certains ont avancé que le fameux pot pouvait contenir du rose à joue, d'autres de l'eau de rose, d'autres enfin une substance alchimique appelée rose minérale, sublimation de l'or et du mercure, mais sans arguments déterminants. Dans cette affaire, le pot aux roses n'a pas encore été découvert.

Faire un tabac

Le tabac est une plante originaire d'Amérique qui ne s'est vraiment diffusée en Europe qu'au XVIIe siècle. L'entrée de ce mot dans la langue populaire est relativement récente, et pourtant il a donné naissance à diverses expressions comme « faire un tabac » (obtenir un grand succès auprès du public ou de ses amis), « passer à tabac » (rouer de coups), « un coup de tabac » (une tempête). Cette popularité est factice et due en grande partie à la collision avec d'autres mots de prononciation proche issus de la langue d'oc, comme *tabassar* qui a donné « tabasser », de même sens, ou *tabust*, qui signifie « vacarme, querelle ». Le premier explique le sens de « passer à tabac », et le second celui de « coup de tabac », qui serait ensuite passé au théâtre puisqu'un grand succès est toujours salué de manière très bruyante par le public.

La fine fleur

La fleur est l'organe de reproduction des plantes. Parée de belles couleurs et exhalant des odeurs suaves pour attirer les animaux pollinisateurs, elle est appréciée des humains pour sa beauté depuis la préhistoire, comme les fouilles l'ont révélé. Ce mot à connotation positive très forte est employé au sens figuré pour qualifier ce qu'il y a de meilleur, d'excellent.
La fleur de farine, par exemple, est la meilleure farine qui soit. Quand elle est tamisée avec un tamis aux mailles les plus fines possible, on obtient de la fine fleur, c'est-à-dire le top du top. Dès le Moyen Âge, les romans parlent de la fleur de la chevalerie, l'élite de la noblesse guerrière. La fine fleur des chevaliers, ce sont les meilleurs d'entre les meilleurs, Roland et ses compagnons par exemple. Curieuse contradiction de la langue, qui pour valoriser la force la plus brutale utilise l'image d'un frêle organe végétal.

Avoir de la peau d'orange sur les cuisses

La peau épaisse de l'orange est constellée de petits trous, orifices des glandes qui produisent l'essence odorante caractéristique de son zeste. Cela lui donne une structure grumeleuse très semblable à celle que prend la peau humaine dans les zones du corps où s'accumulent les nodules graisseux de cellulite. Avoir de la peau d'orange sur les cuisses signifie donc avoir de la cellulite. Cette expression concerne surtout les femmes. En effet, pour des raisons hormonales, la graisse ne se dépose pas au même endroit selon le sexe. L'homme est condamné à voir son ventre se déformer en une sorte de bouée graisseuse très inesthétique. La femme stocke la graisse un peu plus bas, dans les fesses et sur les cuisses. La peau d'orange est une première alerte, et quand la situation s'aggrave, on passe du végétal à l'animal, avec l'apparition de la culotte de cheval.

Être un gland

Le gland est le fruit du chêne, l'arbre le plus commun dans les forêts de nos régions. Sa forme très particulière permet de le reconnaître au premier coup d'œil et il sert souvent de motif de décoration, au bout des cordons de rideau ou sur l'uniforme des militaires, par exemple. Cette forme caractéristique se retrouve à l'extrémité renflée du pénis des hommes, qui a été ainsi baptisé fort officiellement puisque cette signification n'est pas mentionnée comme argotique dans les dictionnaires. Les nombreux mots populaires désignant le sexe de l'homme ou celui de la femme sont souvent utilisés comme des injures. Notre gland n'y fait pas exception, et être un gland n'est donc pas flatteur. C'est être un incapable, un mauvais ou un fainéant. Le verbe dérivé « glander » désigne en effet l'action, si l'on peut dire, de ne rien faire, et le terme glandeur celui qui l'accomplit volontairement.

Avoir du foin dans ses bottes

Autrefois, l'habillement était plus fruste qu'aujourd'hui, et les sous-vêtements bien plus réduits, voire inexistants. Les grosses chaussettes de laine qui nous tiennent bien chaud en hiver sont des éléments récents du confort vestimentaire.
Pour ne pas avoir froid dans ses sabots ou dans ses bottes, on les garnissait d'un matériau abondant, bon marché et isolant, la paille. Mais les brins de paille, riches en silice, sont durs et peuvent blesser les épidermes délicats.
Le foin, aux brins plus fins et plus souples, est bien plus confortable. Mais il coûte plus cher, et seules les personnes suffisamment aisées pouvaient se permettre d'en mettre chaque matin une poignée ou deux dans leurs bottes. L'expression signifie donc être riche, ou au moins ne pas être dans la gêne.

Entre la poire et le fromage

Aborder un sujet entre la poire et le fromage, c'est discuter au dessert, à la fin du repas, au moment où l'on cause librement. « Ventre affamé n'a pas d'oreilles », dit la sagesse populaire. Au début du repas, chacun se concentre sur le plaisir de soulager sa faim. Puis quand le corps est repu, le cerveau est disponible pour la réflexion et la discussion.
Reste deux questions : pourquoi la poire, et pas la tarte ou la crème, pour symboliser le dessert ? Probablement parce que ce fruit juteux et fragile, de conservation délicate, a longtemps été un fruit aristocratique. Par exemple, un ancien proverbe affirme : « Qui avec son seigneur mange poires, il ne choisit pas des meilleures. » Et pourquoi la poire est-elle mentionnée avant le fromage, alors que nous mangeons le dessert en dernier ? Parce que l'expression remonte à une époque où le fromage était servi en fin de repas, après les fruits ou en même temps qu'eux. Quelques traces restent dans la gastronomie de ces anciennes habitudes, certains fins gourmets dégustant par exemple du cantal avec des figues, ou du fromage de brebis avec de la confiture de cerises.

Avoir un pois chiche dans la tête

Quand le cerveau a été reconnu comme étant le siège de l'intelligence et des sentiments – car autrefois c'était le cœur –, les gens en général et les savants en particulier, dans une naïve logique, ont estimé que plus il était gros, plus la personne était intelligente. Ainsi sont entrées dans la langue certaines expressions tendant à assimiler imbécillité ou folie à une taille microscopique du cerveau, comparable à un pois chiche par exemple. Pourquoi un pois chiche ? Peut-être parce que ce légume est tout cabossé, tout comme la surface du cerveau est garnie de bosses, comme la célèbre bosse des maths.
La mode, au début du XXe siècle, de la pesée du cerveau à l'autopsie des défunts célèbres a prouvé que le poids de celui de personnages reconnus comme d'une grande intelligence pouvait varier presque du simple au double ! En clair, il faut avoir un pois chiche dans la tête pour croire cette ineptie du rapport direct entre poids du cerveau et intelligence.

Être dur de la feuille

La forme des oreilles humaines rappelle celle d'une feuille d'arbre. Dans cette expression, qui signifie être sourd ou du moins entendre mal, la feuille est donc l'oreille. Être dur de la feuille, c'est donc être dur d'oreille.
L'expression inverse « avoir les oreilles délicates » a une tout autre signification. Elle ne veut pas dire qu'une personne a l'ouïe particulièrement fine, mais qu'elle est choquée par la moindre parole un peu grossière ou osée. On peut donc avoir les oreilles délicates tout en étant dur de la feuille !

Ne rien avoir dans le citron

La forme ovale et pointue du citron rappelle celle d'une tête humaine. Le langage populaire, qui aime les images, l'a donc utilisé pour qualifier notre tête, siège du cerveau, centre de notre intelligence dont nous sommes si fiers.
Ne rien avoir dans le citron, c'est donc ne pas avoir de cervelle, être un imbécile, ou plus exactement manquer de réflexion. L'expression s'emploie en effet souvent comme un reproche contre quelqu'un qui a agi sans réfléchir aux conséquences de ses actes : « Tu n'as donc rien dans le citron pour avoir fait cela ? » Mais le simple fait de poser cette question au coupable montre bien que ce n'est qu'une métaphore, puisque nous sollicitons par là même sa réflexion, donc son cerveau.

Attendre sous l’orme

Cette expression surannée n’est plus employée aujourd’hui, la grande majorité des ormes ayant été détruite par une maladie apparue il y a une quarantaine d’années. Autrefois, c’était un arbre très apprécié pour ombrager les places et les rues des villes et des villages. Il servait couramment de point de rendez-vous. Au sens premier, l’expression signifiait attendre quelqu’un inutilement, puis au sens figuré qualifiait une promesse sur laquelle il ne fallait pas compter. Une autre expression de même sens, « faire lanterner quelqu’un », renvoie également à un passé révolu, quand les espaces publics étaient éclairés avec des lanternes, autres points de rendez-vous pratiques.

Index des mots clés

Achevé d'imprimer en janvier 2016
sur les presses de l'imprimerie Pollina, en France - L75106
Dépôt légal : janvier 2013
ISBN : 978-2-603-01916-0